U0064366

劉福春・李怡 主編

民國文學珍稀文獻集成

第二輯

新詩舊集影印叢編　第53冊

【胡思永卷】

胡思永的遺詩

上海：亞東圖書館 1924 年 10 月版

胡思永　著

花木蘭文化事業有限公司

國家圖書館出版品預行編目資料

胡思永的遺詩／胡思永　著 — 初版 — 新北市：花木蘭文化事業有限公司，2017〔民 106〕

178 面；19×26 公分

（民國文學珍稀文獻集成・第二輯・新詩舊集影印叢編　第 53 冊）

ISBN 978-986-485-151-5（套書精裝）

831.8　　106013764

ISBN-978-986-485-151-5

民國文學珍稀文獻集成・第二輯・新詩舊集影印叢編（51-85 冊）

第 53 冊

胡思永的遺詩

著　者　胡思永

主　編　劉福春、李怡

企　劃　首都師範大學中國詩歌研究中心
北京師範大學民國歷史文化與文學研究中心
（臺灣）政治大學民國歷史文化與文學研究中心

總 編 輯　杜潔祥

副總編輯　楊嘉樂

編　輯　許郁翎、王筑　美術編輯　陳逸婷

出　版　花木蘭文化事業有限公司

社　長　高小娟

聯絡地址　235 新北市中和區中安街七二號十三樓
電話：02-2923-1455／傳真：02-2923-1452

網　址　http://www.huamulan.tw 信箱 hml 810518@gmail.com

印　刷　普羅文化出版廣告事業

初　版　2017 年 9 月

定　價　第二輯 51-85 冊（精裝）新台幣 88,000 元

胡思永的遺詩

胡思永 著

胡思永（1903～1923），安徽績溪人。

亞東圖書館（上海）一九二四年十月初版。原書三十二開。

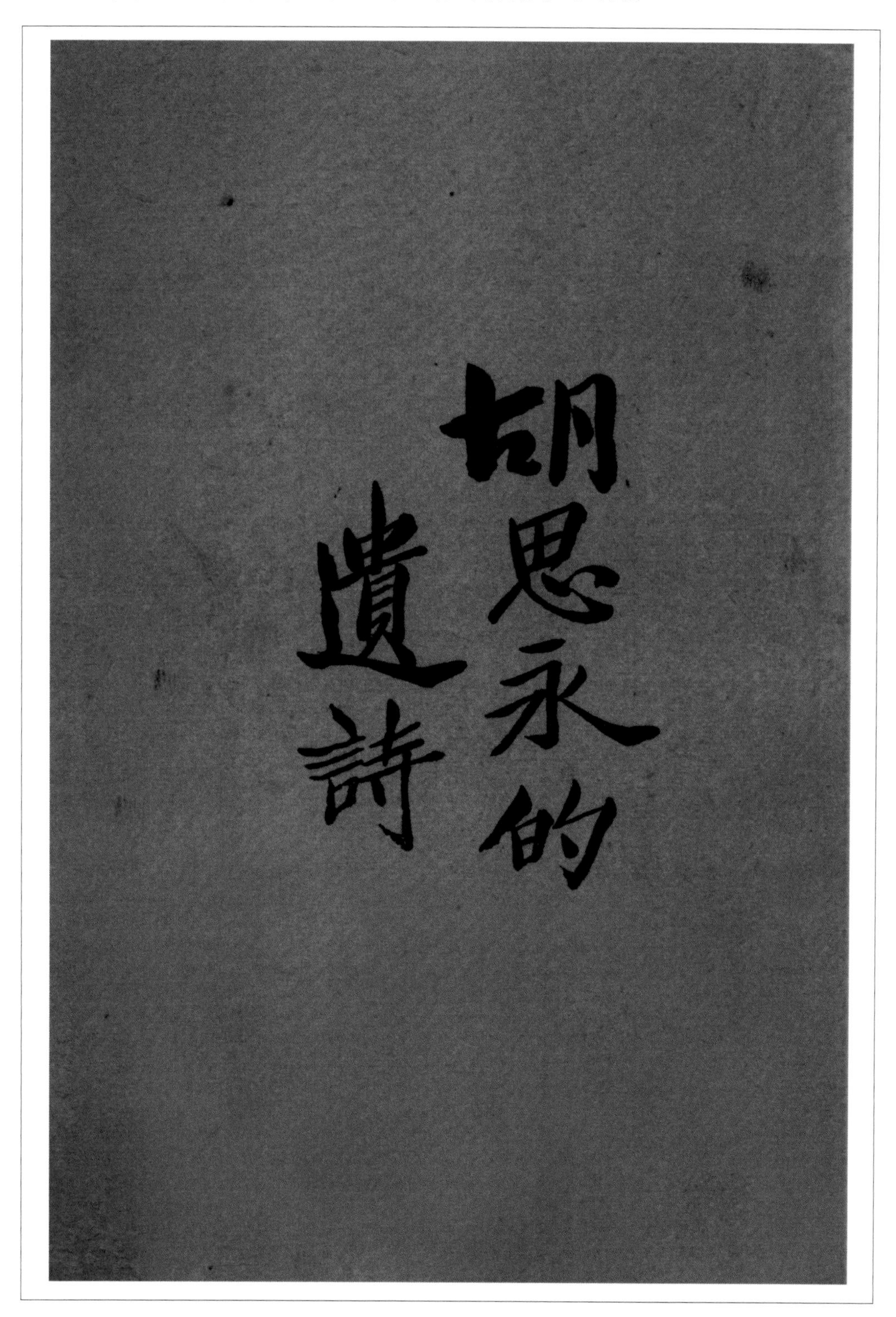
胡思永的
遺詩

胡思永

明天社叢書之一

胡思永的遺詩

上海亞東圖書館印行

胡思永的遺詩目錄

胡思永的遺詩目錄

第二編　南歸

胡思永的遺詩目錄

胡思永的遺詩目錄

第三編　沙漠中的呼喊

胡思永的遺詩目錄

胡思永的遺詩目錄

附錄

(6)

胡思永的遺詩序

胡適

這是我的姪兒思永的遺詩一册。思永是我的三哥振之（洪駓）的兒子，生於清光緒癸卯（一九〇三）。三哥患肺癆已久，生了兩箇兒子都養不大，最後始生思永。三哥生他的第二年（一九〇四）三哥就同我出門到上海；我去求學，他去就醫。他到上海剛六箇星期，醫治無效，就死了。那時思永剛滿一歲。

思永稟受肺癆的遺傳很深；做小孩時，他的手足骨節處常生結核，雖幸而不死，然而一隻手拘攣不能伸直，手指也多拘攣的，一隻脚微跛，竟成了殘廢的人。民國

胡思永的遺詩序

八年（一九一九）他到北京之後，身體頗漸漸健旺。八年秋間他考進南開中學；九年春初，他願意仍回到我家裏自修，我當時正主張自修勝於學校教育，故也贊成他回家自修。十一年一月他回績溪去看他的母親，春天由新安江出來，在杭州上海之間玩了四五箇月。北回後，再進南開中學，不久就病了。十二月中回北京，延至十二年四月十三日就死了。中醫說他是虛勞已成，協和醫院的西醫說他是『阿迭生病』，是一種腺中結核，是不治之症。他死時只有二十一歲。

他的遺稿只有這一冊遺詩，和無數信稿。他長於寫信，寫的信都很用氣力。將來這些信稿收集之後，也許

胡思永的遺詩序

有付印的機會。

這些詩，依他自己的分配，分作三組。第一組——閒望——是八年到十年底的詩。原稿本不多，我又替他删去了幾首，所以剩下的很少了。第二組——南歸——是十一年一月到七月的詩。這一組裏，删去的很少。第三組——沙漠中的呼喊——是十一年八月到十二月的詩，沒有删節。

思永從小的時候就喜歡弄文學，對於科學的興趣很冷淡。白話文學的起來，解放了他的天才，所以他的進步很快。他和江澤涵周白棣們做的詩，常常不簽名字，彼此交換抄了，拿來給我看，我往往認得出那是他的詩。

(3)

胡思永的遺詩序

他自己也知道他的天性所近，也就自任作將來的詩人。所以他詩還沒有做幾首，詩序却已有了一長篇。這篇長序，他自己後來很否認，用硃筆塗抹到底，自己加上『不成東西！』『笑話，笑話！』的批語。但我仍把這篇序保存了，作爲一件附錄，因爲這篇序至少可以表示他當十八歲時對於詩的見解。後來他自己以爲他超過這種見解了；殊不知道這種見解正是他得力的地方，他始終不會完全脫離這種見解。

他在那篇序裏曾說：

> 我做的詩却不像白棣的詩一樣，十首就有八首含有努力的意思，前進的意思；也不像澤涵

胡思永的遺詩序

一樣，十首就有八首含有安慰自己的意思。我的詩只要表出我的感觸，我的意思，我的所見。

這是他自己的評語，我們至今還覺得這句話不錯。

他又指出他的詩的許多壞處，並且說：

> 一箇做詩的人，無論是做寓意的詩，寫實的詩，都應該用自然的景色做箇根底，都應該多多的接近自然的景色。

他不信閉門造句的死法子，並且引我告訴他的一箇實例。這箇實例，他說的不明白，我替他重說一遍罷。我對他說，做詩要用實際經驗做底子，寫天然景物要從實

胡思永的遺詩序

地觀察下手；不可閉眼瞎說，亂用陳套語。民國前一年我在美國做了一首『孟夏』的詩，內中有一句『榆錢亦怒苗』。當時一位同學朋友鄒先生就指出榆錢是榆子，不是榆葉。從此以後，我不敢亂用一句不曾自己懂得的文學套語。思永對於這一層意思似乎很承認。我們讀他的詩，知道他是朝着這箇方向努力的。

他又說他的詩還有許多缺點：

> 一，學問不足；二，所受的激刺不深；三，心太冷。……我很希望我能夠吃一劑猛烈的興奮藥，給我一箇強大的激刺，提起我努力學問的觀念，燒熱我快要冰冷的心！

胡思永的遺詩序

這很像一箇疲乏的人立定主意去吸鴉片煙，打嗎啡針，有意去嘗試那『強大的激刺』的滋味。後來他在南方，戀愛着一箇女子，而那箇女子不能愛他。戀愛和失戀——兩種很猛烈的興奮藥——果然刺激起了他的詩才，給了他許多詩料。南歸的一大半和沙漠中的呼喊的一大半都是這種刺激的產兒。

他的抒情詩之中，有幾首是必定可傳的。如月色迷朦的夜裏：

在月色迷朦的夜裏，
我悄悄的走到郊外去，
找一箇僻靜無人的地方，

胡思永的遺詩序

把我的愛情埋了。
我在那上面做了一箇記號，
不使任何人知道他。
我又悄悄的跑回家，
從此我的生命便不同了。

我很想把他忘了，
只是再也忘記不去！
每當月色迷朦的夜裏，
我總在那裏躑躅着！

（十，五，二八）

（8）

又如寄君以花瓣：

寄上一片花瓣，
我把我的心兒付在上面寄給你了。
你見了花瓣便如見我心，
你有自由可以裂碎他，
你有自由可以棄掉他，
你也有自由可以珍藏他：
你願意怎樣就怎樣罷。

寄上一片花瓣，

胡思永的遺詩序

我把我的心兒付在上面寄給你了。（十一，八，十五）

他的詩，第一是明白清楚，第二是注重意境，第三是能剪裁，第四是有組織，有格式。如果新詩中眞有胡適之派，這是胡適之的嫡派。

但思永中間也受過別人的大影響。如南歸中的不中肯的慰問，他自己對我說是受了太谷爾的詩的譯本的影響。又當周作人先生譯的日本小詩初次發表的時候，思永日夜諷誦那些極精采，極雋永的小詩，所以他在這一方面受的影響也很不少。南歸中有短歌四十九首，其中頗有些很好的，例如

27

請你寬恕我，照前一樣的待我，——這兩日的
光陰真算我有本事過去。

49

但願不要忘了互相的情意，便不見也勝於常
見了。

思永自己盼望的『強大的激刺』果然實現了。但他的多病而殘廢的身體禁不住這『一劑猛烈的興奮藥』，後來病發，就不起了。他的夢想中的呼號是：

這是最後的剎那了！
這是最後的接吻了！
真實長久的快樂我們已無望，

胡思永的遺詩序

永久的悲哀也願意呵！ (十一，九，廿二)

思永後最的幾箇月的詩，多是病態的詩，怨毒的悲觀充滿了紙上。我在十一年十月中收到他的禱告一詩（登在努力第廿八期）之後，即寫信給他，說少年人作如此悲觀，直是自殺。但他的心理病態也是遺傳的一部分，到此時期隨着不幸的遭遇與疾病而迸發，是無法可以挽救的。他的二次的禱告中說：

主呀！我不求美麗的花園，
不求嵯峨的宮殿，
不求進那快樂的天國，
我只求一塊清淨無人的土地！

胡思永的遺詩序

那裏，在綿亙千里的樹林中，
在峯岩重疊的高山上，
在四望無際的沙漠裏，
甚至在那六尺的孤墳內。

只要看不見那人們的觸目，
隨便那裏都可以的，
隨便那裏我都願意。
主呀！請允了我這個小小的要求罷！（十一，十一，九）

這是一箇少年詩人病裏的悲憤。我盼望讀他的詩的人賞

胡思永的遺詩序

玩他遺留下的這點點成績，哀憐他的不幸的身體與境遇；我禱祝他們不至於遭際他一生的遭際！

十三，九，二，北京。

我很感謝程仰之君替思永搜集和抄錄這些遺稿。

（適。）

（14）

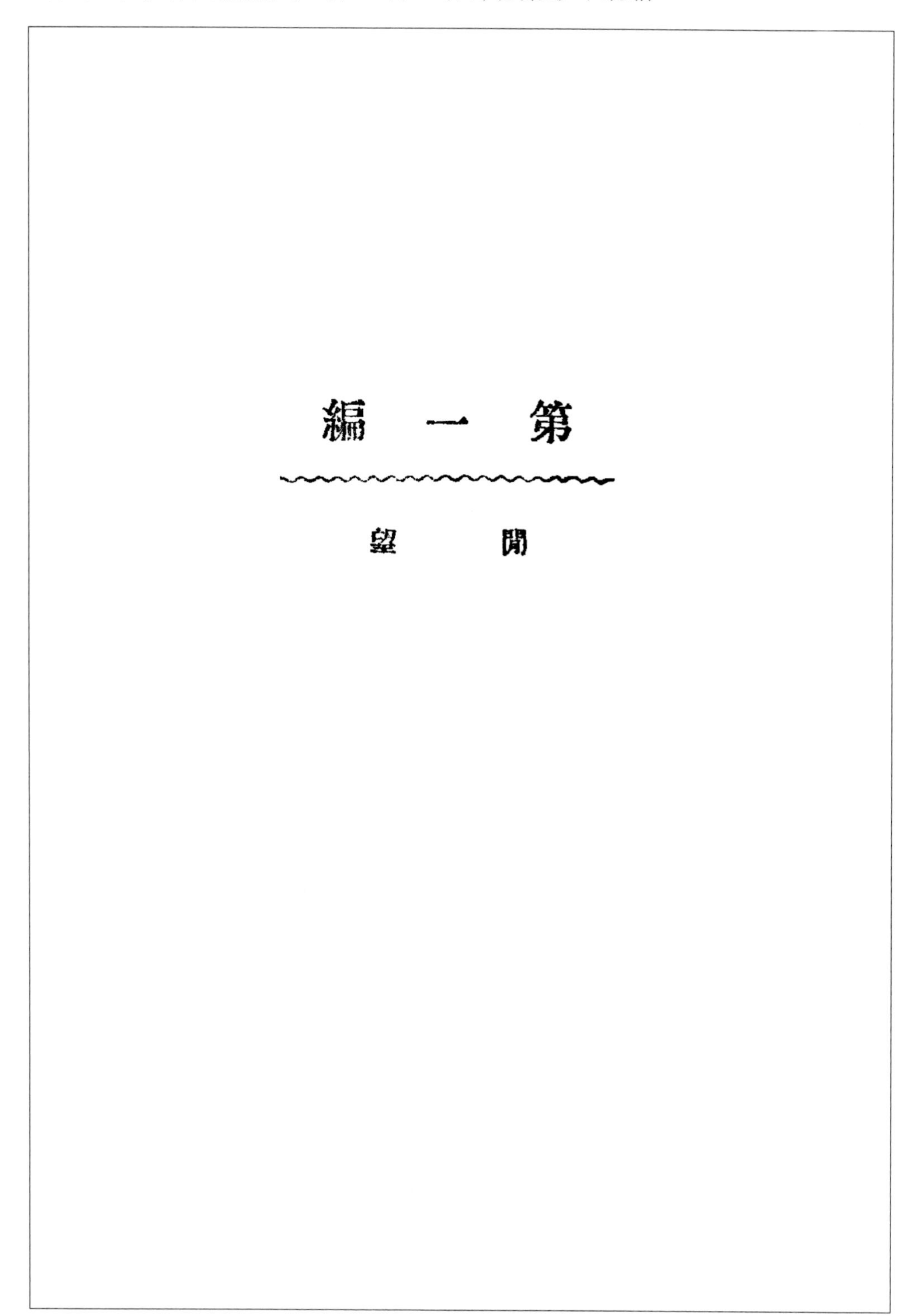

第一編

聞望

小船

『呀！小船呀！
你為什麼儘管這樣的搖動？
你為什麼儘管這樣的前進？
難道你不疲倦嗎？
難道你不想休息嗎？』

＊

『呀！是呀，
我很是疲倦，
我很想休息。

胡思永的遺詩

但是你不見嗎？
這許多的波濤，
滾滾的流來，
前面的去了，
後面的又到。
叫我怎樣不搖動呢？
叫我怎樣不前進呢？」

（八年秋間作）

（2）

麥和草

一片茫茫的荒地，
沒有生長什麼。
一日，農夫背了鋤牽了牛來，
在這荒地上布了許多麥子。

※

時候到了，
麥子都笑迷迷的長出麥苗來了。
但那麥苗的中間，
還另外長了一些的小草，

同樣的綠油油的，
幾乎分不出來。

※

時候又到了，
麥苗長得很高了，
麥苗和小草
這時候很容易分別了。

（九年四月十二日）

雨

四面的黑雲都合來了，
雨點淋漓的打下來：
打在屋上，
打在樹上，
都瀝瀝的作響。

※

一陣陣的越下越大了，
乾的地方都變成溼的了，
塵土也不飛揚了。

胡思永的遺詩

樹和綠草雖被大雨打得不成模樣，
但更綠得可愛了。

（九年七月十六日）

（6）

閒望

蔚藍的天，襯着幾片白雲；
黃沙的地，襯着許多綠草；
葱蘢的樹林，襯着幾間破屋。——
沸了的心兒，襯着些什麼呢？

（九年七月十七日）

不用愁呵

夏天漸漸的過去，
塘裏的荷花都變了顏色了。
他愁眉苦臉的對着荷葉，
悄悄的說道：
「我快要謝了，你還是青着！」

*

荷葉看見荷花的情狀，
又聽了他的說話，
也低低的嘆着說：

『羨什麼呢？我也快要焦黃了！』

＊

泥裡的藕聽了他們的說話，
在那裏暗暗冷笑。
他心裡想道：
『你們都不用愁呵，只要我能存在，你們
還怕沒有重來的日子嗎？』

（九年八月二十七日）

胡思永的遺詩

答四叔的失望（有序）

院中有十幾盆菊花，我當每日黃昏的時候，總常常拿水去澆他們。不料澆了幾天水之後，菊花不但不茂盛，他的葉子反倒漸漸的爛掉了。有一天蔣夢麟先生來看我四叔，在院中見了這幾十盆菊花，他就笑話我四叔不會種花。我四叔受了蔣先生的笑話，大概有點難爲情，於是便做了一首解嘲的詩寄給蔣先生。我聽了蔣先生的話，又讀了我四叔的詩，

（10）

——而且菊花確是我澆壞的，——我自然也有點難為情，於是我也作了一首詩答我四叔，替我自己解嘲。

我不是一箇種植的專家，
不曾研究過種菊的道理，
但我用水去澆他們，
卻完全是一番好意。

※

菊花不領我的情，
葉子漸漸的都爛掉了。

胡思永的遺詩

蔣博士見了笑胡博士，
我又被胡博士做詩嘲笑。

※

我確是有點不服氣，
並也想不出這是什麼道理：
園中的菊花不怕雨來淋，
院中的菊花怎的連幾滴水都禁不起？

※

可惜我不是一箇種植的專家，
不曾研究過種花的道理，
但我用水去灑他們，

(12)

卻完全是一番好意。

(九年十一月六日)

附四叔的詩

失望 (寄夢麟解嘲)

菊花葉上沾著點塵土，
永兒嫌他們的顏色不好，
他就用水來灑他們，
說，『給他們洗一箇澡！』

※

胡思永的遺詩

過了幾天，夢麟見了大笑，
他說，『適之家裏那配種菊花！
把菊花的葉子都爛掉了，
這難道是種花的新法！』

※

我也有點難爲情，
便問，『這是誰幹的事？
怎麼把水淋菊花，
教葉子爛成這箇樣子！』

※

永兒有點不服氣，

他說，「菊花不是能「傲霜」嗎？
怎樣連幾滴水都禁不起？
這不是上了詩人的當嗎？」

（九年十一月六日晨三時）

失望

我站在這箇沒遮攔的太陽地裏，
心裏已熱極了。
我只盼望有涼風吹來，
吹得心裏涼快。

※

我走在這條四顧茫茫的大路上，
身子已乏極了。
我只盼望前面有一座樹林，
好使我進去歇息。

※

只是我盼望了半日了，
既不覺半點微風，也望不見一點樹林。
我依舊在沒遮攔的太陽地裏，
依舊在四顧茫茫的大路上！

（十年三月十七日）

胡思永的遺詩

遊頤和園道中

十年六月六日與原放聽哥同往遊頤和園，出西直門，見道中景緻與家鄉中極相似，歸後作此詩。

遠望去都是青山，
天和青山啣接着，
白雲又飄在天空裏。
哦！這似乎是我家鄉中的景緻，——
只是我三年沒有回家了！

(18)

※

四面都是田疇，
青青的不知種的是什麼，
田中還有許多土墩兒。
哦！這似乎是我家鄉中的景緻，——
只是我三年沒有回家了！

※

小溪裏的水汩汩的流着，
樹上的小鳥喃喃的歌着，
牛和羊兒也時常散見於道旁的草原裏。
哦！這似乎是我家鄉中的景緻，——

胡思永的遺詩

只是我三年沒有回家了！

※

壩上有許多大樹，
田邊時常顯出茅屋，
田裏還有許多作工的人們。
哦！這似乎是我家鄉中的景緻，——
只是我三年沒有回家了！

※

婦人們在茅屋前工作，
男人們在溪邊擔水，
小孩們在溪頭遊戲。

（20）

哦！這似乎是我家鄉中的景緻，——
只是我三年沒有回家了！

（十年六月六夜）

小詩

窗外的風聲有同灘水的下瀉，
我憶起了我的家鄉，
又憶起了到我家鄉的蕪湖路，
那裏的灘水常使我疑是風聲，
我盼望今晚能夢到那似風聲的灘水。

（十年十二月三十一日）

第二編

南歸

津浦車中雜詩

低低的小山，
落了葉的樹林，
紅色的小屋宇，
都望後去了，
我卻前進了。

※

心裏的思潮，
和火車的行走一樣，
都是起伏不定的。

胡思永的遺詩

＊

鄰座的旅客們眞討厭呵！
笑談的聲音，
煙捲的氣味，
都使我十分的難堪。

＊

長途的旅路，
原是苦事，
只有忍耐着罷。

＊

倚著鐵欄假寐，

胡思永的遺詩

原是想避免煩囂，
但不久卻眞睡着了。

※

偶然的被汽笛的聲音叫醒，
張開了睡眼看看窗外，
除了黑漫漫的，別的什麼也看不見了。

※

再又從睡夢中醒過來，
天已大亮了。
擦了擦睡眼，——
哦！雪景美呵！

胡思永的遺詩

山是白的，
樹是白的。
大地更是白的了。

※

僅是一夜的酣眠，
山川便變了顏色了！

（十一年一月十四日上午）

（26）

浦口渡江

在微風微雨的天氣，
我到了浦口了。
我已上了小火輪，
前面就是南京了。

＊

我十分的盼望和衆朋友們相見呢，
朋友們或許也在盼望着我呢？
小火輪呵！
快進罷！

（十一年一月十四日下午）

到了南京之後

從北京帶了快樂出來，
到南京都化成着急了。
預約的友們欺我，
他們都從杭州回家了；
天公也和我作對，
連天的刮着風和雪，
大放寒風，
我的手和足都凍僵了。

※

胡思永的遺詩

凍僵了我的手和足還罷了，
阻止我的旅路，
我才是加倍的煩憂哩！

（十一年一月十五日）

在南京寄母

我現在已被風雪困在南京了，
媽媽，我好急呵！
在北京給你的信，
想必已收到了。
媽媽，我知道的，
當那信入你手之後，
你定爲我屈指算着歸期了。
等到過期我還不到，
你一定要着急了。

媽媽，其實你兒在路上是很平安的，
請放心罷，
不久你兒就要到家了，
不久你兒便要同三歲時一樣來倚在你的懷裏了。

（十一年一月十五日）

出城至下關

寒風在耳邊呼呼的吹着，
耳和鼻子都幾乎吹掉了。
兩手凍僵了，
兩脚也凍麻了。

※

路上都結成堅冰了，
雪還是微飄着。
天黑得同墨一樣，
街燈也昏昏不明的。

胡思永的遺詩

※

在這般嚴肅的冬夜裏，
衝風冒雪的出城去，——
風雪終阻不住我的歸心呵，
明天決離南京了。

（十一年一月十七夜在下關作）

由南京到蕪湖的船中

天未明時就起牀了，
天剛明時便上船了，
三小時的睡眠雖不够，
但爲了歸心所迫，
也不得不然了。

＊

雪雖是晴了，
寒意還是如舊的，
晨風吹着我，

胡思永的遺詩

在微明的早晨送我上船去。

※

船上的人擠擁呵！
艙房已有兩人先我們而在了。
艙中的空氣好濁呵，
頭也有點昏昏的。
同是旅客，
只不過暫時的相識罷了。

※

我不耐煩久處於艙中，
負着手兒走上船頭去。

攀着鐵欄沉思著，
江水如我心呵！

（十一年一月十八日）

歸家

已到了家門了，
我忘了長途旅路的疲倦，
也忘了所受的風霜雨雪，
只用我全身的能力，
急急的跑進門去，
烈烈的喊聲：
「媽媽，我回來了！」

生日

十九歲的光陰過去了，
同落了的梅花一樣，
靜悄悄的過去了。

（二十歲的生日在杭州作）

別杭州諸友

我愛秀麗的杭州，
我更愛在杭的諸友；——
沒有不散的筵席，
也只好無可奈何的別去了。

＊

含着假笑上了車，
一一的都握過手了。
互相的祝着平安，
互相的勉着珍重。

胡思永的遺詩

汽笛鳴了，
車輪動了，
我別了杭州，
我別了在杭的諸友了。

※

那矮的是靜之和兆熊，
高的是砥中和張翊，
其餘的人是仰之，冠英和珮聲，
他們都揮手揚巾的歡送我。

※

遠了，

(40)

胡思永的遺詩

漸漸的遠了，
小樹遮着了，
綠柳又遮着了，
終竟看不見他們了。

※

野外的景緻美呵！
那紅的是桃花，
白的是梅花，
紫黑白相間的是豆花，
鋪滿田畦的黃的是油菜花；
新茁芽的垂楊，

胡思永的遺詩

遠望去似是層層的黃霧：
野外的景緻美呵！
也不過隨便的過去了，
那有心情仔細的賞玩呢？

※

在一處見了一條小河，
又見幾隻小船，
便想起離杭前一小時的情景：
同珮聲站在城站的上面，
珮聲指着城下的河水告訴我說，
這是通城外某處的。

(42)

胡思永的遺詩

倘如這小河是通城站的，
那麼小船上的人是到杭州的了。
乘船者，我羨慕你呵！

※

倚着車窗癡望着，
一直望到了口口(一)，
才似被傷的輕輕的坐下了
時間一分一分的過去，
火車也一程一程的前進，
天將黑時便可望見上海了。

遙望杭州祝禱着：
荷花開時我們再會罷，——
明年荷花開時我們再會罷！

（十一年三月二十一日在滬杭車中）

（一）原闕字

寄杭州諸友

第二次離杭，在杭滬車中得此四句，則以寄杭州諸友。

前次離杭時還可以看見殘梅，
這次離杭連殘梅都看不見了。
這就是光陰瞬速的暗示呵，
我們努力罷！

（十一年四月七日）

寄母

桑葉兒已有手掌般大了，
這正是蠶忙的時候了。
媽媽！我家養了多少蠶呢？
你身體不強健，請千萬少養些罷！

※

蠶豆花已謝了多時了，
已結成肥莢了。
媽媽！我家種了多少豆呢？
百壽邱的桑田裏種滿了嗎？

牆上牆下也都種了嗎？

（十一年四月二十四日在滬甯車中）

心急

四月廿四日由南京復回上海。近兩日來，得母信，罵我何以留戀杭州不回北京；得珮聲和仰之的信，均催我速海行回北；叔信仍未至，心急萬分。

人們都以爲我是有心不回北京，
我實是陷於這種被疑的境地，
我無以自明，只有讓他們說去罷。

※

胡思永的遺詩

沈寂的生活我原是不願意過的，
無可奈何只有過着罷。
自心的着急，只有自心知道啊！

※

再又回到上海來，
便似負了重罪似的啊！

遊玉皇山

與珮聲，慰章，冠英，仰之，靜之，漢湘同遊玉皇山，歸後作此。

那不是之江嗎？
那白漫漫的不是之江嗎？
哦！好雄壯呵！
我把我的一切憂愁都付與你罷。

※

偶然的受了一箇感觸，

我又起了憂愁了。
皺了雙眉，慢慢的走到桂樹下的井邊，
憑着井欄只是沈思，
怎樣才可贖我的罪呢？

（十一年五月十四日在杭州）

短歌四十九首

一

人不來也罷了，怎麼電話也不來一個？

二

怕隔只不過五尺路，除了眼睜睜的望望，連嘆氣都不敢呵！

三

面上淡淡的，心裏都被火燒着了。

四

不敢嘆氣呢，怕她聽了要傷心呢！

（ 52 ）

五

她沒有來的時候，我總嫌鐘走得太慢；她來了，我又嫌鐘走得太快了。

六

聽著窗外的脚聲，疑是她來了。開開門來看看，一箇可厭的孩子。

七

懊悔呢！早先拒絕了我，也不至受這許多痛苦了。

八

未見時似乎有許多相思要說，見了後卻又沒

胡思永的遺詩

話了。

九

不是沒話可說，話太多了。

十

眼中的淚痕，拭去罷，莫要又被他們取笑了。

十一

想想罷，連日來的淘氣，是誰的不是呢？

十二

討厭的她的同伴呵，請走出罷！

十三

我咬起牙關來想拔去我的情根，只恨已種得

太深了。

十四

假裝成不再相愛了，這痛苦比刀割還難受呢！

十五

讓情根深種下去罷，我不能忍受這種比刀割還難受的痛苦。

十六

不要爲我煩惱罷，易惹人疑心的事情，總是小心點好呵！

十七

難受呵！陰沉沉的天氣。

十八

獨自淒涼的坐在屋裏，一等也不來，二等也不來，竟恨了我了嗎？

十九

我的苦心竟不能了解嗎？竟恨了我了嗎？呵，不會不能了解呵！想是又出了什麼事故了？

二十

比慈母望兒還望得切呀，門前已跑了無數次了。

二十一

前次給你的信請還了我罷，那原是無理的胡鬧。

二十二

電話來了，該是她的罷，卻又錯了！

二十三

近來拚命的飲酒，却是爲了誰呢？你應該也知道罷。

二十四

爲了懊惱，所以纔飲酒，但飲後却更懊惱了。

二十五

何必嘆氣呢？却是一樣的不幸呵，相愛罷，

相愛罷。

二十六

不要記着那信中的話罷，我現在認錯了。

二十七

請你寬恕我，照前一樣的待我，這兩日的光陰，

眞算我有本事過去。

二十八

我沒有絲毫自制的能力，你是我的靈魂，你

願意我怎樣，你就叫我怎樣罷。

——十一年四月四日

二十九

請告訴她，明天到車站去等我罷，這是最後的一面了。

三十

你就是這樣的走出學校嗎？你的先生們不說話嗎？

三十一

我心裏已被愛之火燒着了，我不管你是不是自由的身子。

——十一年四月六日

三十二

該是在車站上等我罷？望遍了人叢，火車開

了，還不見她的影子。

三十三

桃花呵，垂柳呵，你們一年一會，我們呢？

三十四

黃色的油菜花裏，飛着雙雙的白蝴蝶，我們不及他們多了。

三十五

『S』！這是你的美妙的呼聲，永遠是常在我的耳邊的！

三十六

在塘邊銜泥的燕子，飛去又復飛來了。他們

雖勞碌，但是有伴侶呵！

三十七

你心裏的苦痛，雖是不說，但我却從你眼裏看出了。

三十八

在人家面前，常把眼睛躲避着，不是不愛了，是怕人家要說閒話哩！

——十一年四月七日

三十九

只是我的寂寞的乾燥的靈魂，叫我何以自慰呢？

四十

感謝你，感謝你的好意，只是熱烈的火燒着心胸，叫我怎樣壓制得住？

——十一年四月十四日

四十一

我自己說是最後一面還罷了；你說是最後的一面，却使我加倍的煩憂呵。

四十二

只要心裏能領會，『咫尺天涯』又何妨呢？

——十一年四月十五日

四十三

胡思永的遺詩

脫了衣服又穿上，穿上了又脫了，天氣冷熱的無常呵！

四十四

白天裏實在的生活是愁慘的，怎麼晚上也做不着一箇快樂的夢呢？太難諶了！

四十五

日晒着，風吹着，成了波紋的閃爍不定的銀色的西湖了。

四十六

請放開胸懷罷，請寬恕了我罷，你煩憂我也煩憂，你快樂我也快樂了。

四十七

我原是負了重罪的，但如其是可恕的，就請恕了我這次罷！

——十一年五月十五日

四十八

只是淡淡的不理我，睡覺中也不息地思量着，『我幾時又負了罪呢？』

四十九

但願不要忘了互相的情意，使不見也勝於常見了。

——十一年五月十六日

雜詩

一

太陽戀着山尖，
紅霞戀着青天，
明月戀着屋角，
我戀着我的好人兒。

二

我走入荊棘的叢中，
荊棘扯破了我的衣裳，
劃破了我的雙足。

三

見了花開要煩惱，
見了花落又要煩惱。
花總是年年要開的，
也是年年要落的，
煩惱幾時才可休呢？

（十一年五月十九日在滬杭車內）

小詩

悲哀的第三次的別離，
我們僅是相望着，
連握手都忘了！

（十一年五月二十日在上海）

做詩

我想把我的心情做成一首詩，
只是寫了半天還只一張白紙。
我不能再寫了，
我把張白紙撕成粉碎！

（十一年五月二十二日作於上海）

月色迷朦的夜裏

在月色迷朦的夜裏，
我悄悄的走到郊外去，
找一箇僻靜無人的地方，
把我的愛情埋了。

　＊

我在那上面做了一箇記號，
不使任何人知道他。
我又悄悄的跑囘家，
從此我的生命便不同了。

胡思永的遺詩

※

我很想把他忘了，
只是再也忘記不去！
每當月色迷朦的夜裏，
我總在那裏躑躅着。

（十一年五月二十八日在上海）

（70）

不中肯的慰問

少年！無論你是瘋人般的踯躅着，或是石像般的兀坐着，從你那黃瘦的臉上，含愁的眼裏，都可知道你是有了煩憂了。

※

少年！你爲什麼事煩憂呢？你爲什麼事總是這樣的不快樂呢？請告訴我！請把你的煩憂輕輕的告訴我！

※

你見白日將沒了，你愁着黑夜要來了嗎？但

胡思永的遺詩

是晚上還有羣星和月亮；明天早上太陽還要重來呢？

※

你見風將起了，你愁着院中的薔薇要被風刮落了嗎？但是刮了開的還有含苞的；薔薇過了還有榴花。

※

你見雲起來了，你愁着要落雨嗎？但是落了還是要晴的；晴後的天當更美麗了。

※

少年！你爲什麼事煩憂呢？你爲什麼總是這

樣的不快樂呢？請告訴我！請把你的煩憂輕輕的告訴我。

（十一年五月三十日上海）

墮落者的懺悔

我並不曾做了什麼大罪惡，
只不過是對於自己不努力，
負了許多愛我的人的期望罷了。

※

三月來的飄蕩，所種的罪惡也不算少了。
有人為我急瞎了雙眼，
有人為我感覺到做人難，
有人對我大失望，
有人竟認不得我了。

日出

樹成了金黃的顏色，
草也成了金黃的顏色，
於是我知道日出了。

（十一年六月十二日早，津浦車中）

相思

近來眞懶惰呵，讀書不喜歡，寫字不喜歡，
談話尤其是不喜歡，只是病懨懨地悶坐着。

❀

早上穿了衣服便起來了，現在被和毯還是亂
着哩。也無心收理了，反正晚上還是要睡的。

❀

昨夜用了大心情寫了一封短信，墨盒却又忘
了蓋了。今早起來看看時，飛入了許多灰塵，
還有很小的白色的飛蟲子。

胡思永的遺詩

＊

桌上的書籍縱橫凌亂的堆積着，翻翻這本，又翻翻那本，總找不着我所喜讀的，索性不翻了。

＊

深沉的嘆口氣，仰頭望望天時——哦！怎的窗上的紙兒忘了捲上？是那天放下的呢？

＊

院子的花兒已兩天沒有澆水了，枝上的殘葉也無心收拾他，落下的花瓣兒也不掃了。倘使弟妹們要攀折呢？隨他們罷，我實在懶得開口說話呵。

（十一年七月六日在北京）

無題

並不曾害着刻骨的相思，
只不過有些微的愛意。
愛也罷，不愛也罷，
隨手幾時都可撒手的。

※

我知道你是十分忠心爲着我，
我決依你的意見了。
現我幷不曾抱着何種的野心，
也不曾存着何種的奢望！

胡思永的遺詩

※

我心同井水一樣的平靜，
并不因此事起波瀾，
這是我所可自豪的，
也是我所可告慰於你的了。

（十一年七月十一日在北京）

小詩

槐花落了滿地，
誰也不知這是幾時落下的。
我輕輕的在上面踅過，
不知名的小藤攔着我，
我怕損壞了他，
輕輕的用手推去。

（十一年七月十五日，同仰之遊北海時）

雜詩

一

夢醒來，
黑漆漆地，
夜長了。
天呵，
幾時亮呢？

二、

自來不曉得什麼叫灰心，
但煩悶時卻不能不叫喊。

我樂了不能強哭，
我哀了不能強笑。

三

你不要跑到樹林裏去想心思，
也不要關起房門來發長嘆，
只請你剖開胸懷的告訴我，
你如今還愛她不愛了。

你不要仰望着天空，
也不要用足尖點着地板，
…………………（一）

四

跟我來罷，
那兒就是天國：
那兒有美麗的香花，
那兒有新鮮的空氣。
跟我來罷！

（一）原闕句

第三編

沙漠中的呼喊

紀病

早上勉強起床，
下午又支持不住了。
針刺一般的頭痛，
眞是難受呀！

※

一百零三度的熱度，
使我腦中起了許多幻影：
時而覺得面前是高山，
時而覺得是大海，

胡思永的遺詩

時而覺得有飛機，
時而又覺得有奔馬，
時而又覺得一切都沒有了。

※

偶然的從床上起來吐痰，
偶然的從床上起來喫水，
眼前便覺得發黑，
腦中有說不出的難受，
倘使不閉目倚着桌子，
大概便要倒地了。

※

腿上抓破了害了指甲瘡，
也幾乎痛得要不能走路了。
低微的命運眞無法呵，
頭痛腳也痛了！

（十一年八月三日）

胡思永的遺詩

寄君以花瓣

寄上一片花瓣，
我把我的心兒付在上面寄給你了。

※

你見了花瓣便如見我心，
你有自由可以裂碎他，
你有自由可以棄掉他，
你也有自由可以珍藏他：
你願意怎樣你就怎樣罷。

※

(88)

寄上一片花瓣，
我把我的心兒付在上面寄給你了。

（十一年八月十五日天津）

禱告

我用我滿腔的怨憤，
強設那空中有那萬能的上帝，
每當我閑暇無事的時候，
我常虔誠的向他禱告着。

※

我的眼不看便罷了，
凡我的眼所看見的，
都是些沉臉和冷笑，
主呀！請瞎了我的雙眼罷！

胡思永的遺詩

※

我的耳不聽便罷了，
凡我的耳所聽見的，
都是些譏諷和惡罵，
主呀！請聾了我的兩耳罷！

※

我閉門深居簡出了，
但風又時從窗外吹來，
帶來惡臭和血腥，
主呀！請塞了我的鼻子罷！

※

胡思永的遺詩

雖殘廢了我的眼耳鼻子，
但我心還感覺到迷離惶亂，
還感覺到孤憤與悲哀，
主呀！請把我心也閉了罷！

※

倘如以上的要求都不能做到呢，
萬能的上帝！
那麼請給我以偉大的權力，
讓我把這世界打得粉碎！

（十一年八月二十早天津）

（92）

我友

在那大霧的早晨裏，
我和我友走過那花園，
我見了那蒼翠的竹枝，
我匆匆的走上前去。

※

我友說，『小心點，露華正重哩！』

※

我偶一徘徊，
露珠滴濕了我的衣裳了。

我放開手中的竹枝，
又驚動了那高歌的黃雀了。

※

我友說，「走罷，別再留戀了！」

※

當我回轉頭的時候，
那屋旁的小狗又吠了。
我微微的笑了一笑，
我隨即走開了。

（十一年九月十五日）

仰之來津作此詩送之

同是荒島上的飄流者了，
也不必盼望那都市裏的繁華，
也不必憶念那江南的秀麗，
暫時忍耐着這冷靜的荒涼罷！

※

這荒島眞荒涼呵！
放目觀去是那淼淼茫茫的大海，
島下是那平漠漠的黃沙，
島上是那高低不齊的野草，

胡思永的遺詩

還有那隨處絆人的荊棘。

※

我友！為了我們的生命，
我們互助着罷。

※

倘如要去遊呢，
我們携着手兒，
我們向那險處去，
我倒了你攙起，
你滑了我扶住。

※

([illegible])

倘如覺得飢餓呢，
我們同拾着蛤蚌，
我們同擷着草實，
在那荊棘的叢中，
我們還要闢開一塊平地，
那是預備撒下我們的粮食的種子了。

＊

倘如覺得寂寞呢，
我們同到那頂上去歌着，
浪應着我們，
風和着我們，

胡思永的遺詩

我們更互相的應和着。

※

倘如覺得疲倦呢，
我們可以休息着談天了：
談那天空的白雲，
談那海面的海鷗，
談那水底的游魚，——
但不必談那過去的快樂，
因那過去的快樂已過去了！

※

荒島上只有艱難的現在，

(98)

只有渺茫的未來，
過去的是不必想了。

※

我友！為了我們的生命，
雖是我們所厭的，
也只好忍耐了！

（十一年九月十九日天津）

剎那（永久的悲哀）

這是最後的剎那了！
這是最後的接吻了！
眞實長久的快樂我們已無望，
永久的悲哀也願意呵！

※

我伏在你的懷中哭泣了，
你低聲的安慰我，
又低聲的感歎着，
你說：『你前生怎的欠我這許多眼淚呢？』

胡思永的遺詩

＊

我勉強的直起身來，
勉強的揩去我的眼淚，
你說，「你嫌我嗎？」
我的眼淚又來了。

＊

我伏在你的耳邊告訴你，
我是永遠愛你的。
但你說，「我不願你這樣，
這樣你便自誤了。」

＊

胡思永的遺詩

我含淚的吻着你，
我允你我自後要努力。
我們互勸着別傷心，
我們面上暫時開懷了。

※

這是最後的剎那了！
這是最後的接吻了！
真實長久的快樂我們已無望，
永久的悲哀也願意呵！

（十一年九月二十二日天津）

贈秉璧

昔年我們曾同作荒島上的飄蕩者，
後來我們又分開了。
你仍舊守着這荒島，
我到各處去飄蕩了。

※

我由北而南由南而北的飄蕩着，
最終又復飄到這荒島上來，
我見你時你病着哩，
我坐在你的榻旁和你談話，

胡思永的遺詩

我把我近來飄蕩的情形，
大體的都告訴你了。

※

最終我告訴你我寧願上殺頭台，
我又告訴你我寧願過乞丐的生活，
我不願平安的生活着，
被他們稱爲幸福的馴伏者！

※

你僅告訴我一句話，
你說，『此地眞荒涼呵！』
我於是知道你兩年來所受的了。

(104)

胡思永的遺詩

※

兩年前的狂態，
現在還是如舊，
苦痛終不能使我們馴伏的，
我們要狂放的自由呵！

（十一年九月二十三日天津）

愛神

我想像着要見愛神，
愛神果然姍姍的來了。
他問着我說，『少年，你要見我作什麼呢？
你須知道，見我的人都應先把他的心裂碎，你
肯裂碎你的心嗎？』
我急的說道，『神，我難道不可受特殊的待
遇嗎？』
她說，『這是不能的。你見了我了，你的心
要碎了。』

（十一年九月二十六日下午三時）

晚飯後散步歸來作此

他們都成羣結隊的談着走着，
我却是孤獨的走在那路旁邊，
負着手兒低着頭的想着：
我厭惡人類，
我也厭惡自身了。
心中所感受的，
只是無人能領會，
我怎不苦痛而悽悲哩！

（十一年九月二十六晚七時）

小詩（偶成）

成羣的蝴蝶在我面前飛過，
我幽想而遐思了，
美麗的可愛的我的江南！

（十一年九月二十七日）

徬徨

自從黑夜來了之後，
我便迷失在這荒野中了。
密雲遮了眉月，
羣星也一齊都隱了，
眼前看不見別的，
只是黑漆漆地。

※

心想走上那平坦的大路，
這邊走走有牽衣的，

胡思永的遺詩

那邊走走有刺膺的，
滿地都是些荆棘呵！
我分不出東西南北的方向了，
我只在這荒野中徬徨着，
我跑不出這荒野了。

※

四圍都是些狠𤣩和梟叫，
遠發的山風更响得怕人。
我帶了求安的希望，
癡望着那黑漆漆的眼前，
我不由的顫抖了。

胡思永的遺詩

※

我決定主意往前奔跑，——
奮勇的往前奔跑。
我不顧那刺人的荊棘，
也不顧這荒野的高低，
我一心要跑出這荒野，
一心要跑上那平坦的大路。

※

跑了一氣又一氣，
我摔了無數的跟頭，
我的衣裳已撕碎了，

胡思永的遺詩

我的手足已刺破了，
我忍着了疼痛，
咬緊了牙齒仍往前奔跑。

※

越跑越是些荒野，
我實不能再跑了，
充滿我身的都是疲倦與苦痛，
我不自支地坐在地上。
仰頭僅期待着那天明，
我將終夜在這荒野中徬徨着了！

（十一年十月三十日）

（112）

二次的禱告

只爲我難堪那人們的觸目，
我改用怨憤爲求憫，
我二次跪在上帝的面前，
二次虔誠的禱告着。

※

主呀！我不求美麗的花園，
不求嵯峨的宮殿，
不求進那快樂的天國，
我只求一塊清淨無人的土地！

胡思永的遺詩

那裏，在綿亙千里的樹林中，
在峯岩重疊的高山上，
在四望無際的沙漠裏，
甚至在那六尺的孤墳內。

只要看不見那人們的觸目，
隨便那裏都可以的，
隨便那裏我都願意，
主呀！請允了我這箇小小的要求罷！

（十一年十一月九日）

（114）

小詩

得了愛情，痛苦；
失了愛情，痛苦；
從今決定不再相思了，
讓心兒這樣的閉死！

（十一年十一月二十二日）

胡思永的遺詩

悲哀之一

近來腰痛，醫生說是腰部的神經有病，但醫了幾次也不見好。今天忽大恨，作此詩。

偏是不願意病時病了，
偏是不當病時病了，
可憎的孱弱的自身！

※

從有了生命便多病，

(116)

胡思永的遺詩

初是病了手，
後是病了脚，
粗安了幾年，
又漸漸的病到腰上來了。

※

坐時覺得痛，
臥時覺得痛，
走路時又覺得痛，
醫治了幾次也無效，
無法避免的折磨呵！

※

胡思永的遺詩

我難堪這種細膩的折磨，
忍耐也算忍耐够了。
人生旅路的悲哀，
這也是悲哀之一罷。

（十一年十月二十三日病中作）

（118）

自問

夜是黑得同墨一樣，
風是刮面如割，
不平的道路被雪凍得更難行了，
孱弱的自身是搖搖欲倒。
我并不愛惜我的生命，
我爲誰在這風雪的黑夜中掙扎着？

※

太陽如火一樣晒在這廣漠的野外，
風是絲毫沒有，

胡思永的遺詩

汗是雨般的淋着，
喉中乾得幾乎要出火了。
我并不愛惜我的生命，
我爲誰在這烈日的曠野中喘息着？

※

不能支了要支着，
不能動了要動着，
三星期來的病痛，
使我對於生命越懷疑了：
我并不愛惜我的生命，
我爲誰在這可悲的呻吟中生活着？

(320)

胡思永的遺詩

（十一年十一月二十六日病中）

無題

我心壓在那痛苦的深淵裏，
從不曾被人們察覺過。
日復一日月復一月的過着，
連我自己也幾乎要忘懷了。

※

我儘天裏玩笑狂歌，
我儘天裏跳跳躍躍，
人們無從懂得我的心，
人們都說我是無知的驕子。

胡思永的遺詩

※

我不甘流淚哀啼，
我怎肯逢人訴道？
我願秘密着我的心，
直到那最後的日子。

（十一年十二月十四日）

詩遺的永思胡
(124)

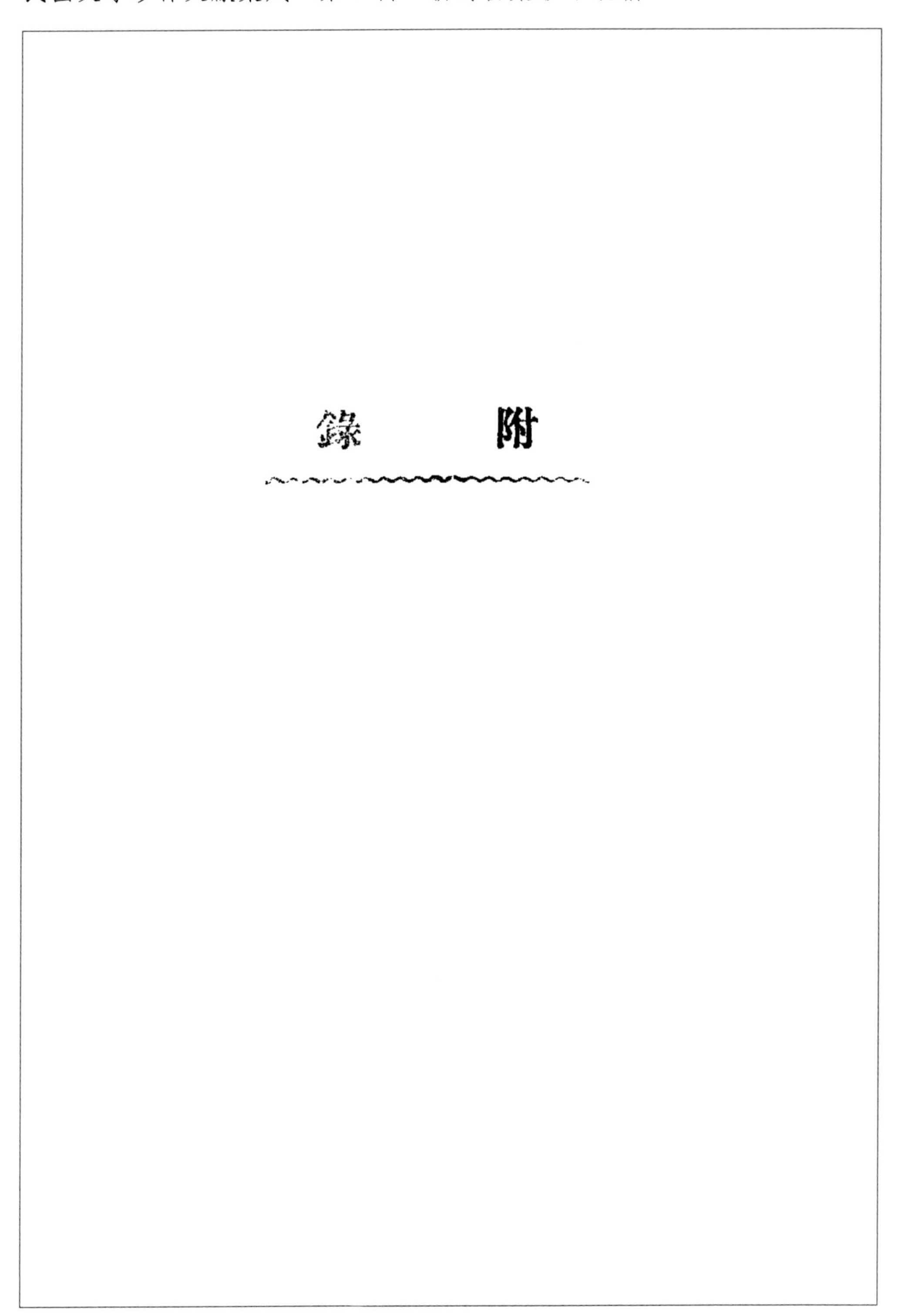

附錄

初作詩時的自序

我平常很愛讀詩詞，因爲詩詞這箇東西的確是人生一種美妙的音樂，能夠和悅人的性情，能夠解人的憂悶，能夠使人忘了一切的勞苦。我常對我的朋友說：『你如果覺得不高興無聊或勞苦的時候，你可以讀讀詩詞；你讀過詩詞之後，我保你一切的不高興無聊勞苦都會不知不覺的消滅去。』我這話並不是謊話，只要我們親自去試驗一下，都可以覺得出來。

我因爲愛讀詩詞的緣故，所以有時也曾胡亂

胡思永的遺詩

的做一兩首歪詩。——要論我做詩最初的起頭，這箇我自己也記不清楚了，大概總是去年。如這本書裏面的玫瑰花和野草花（此詩已删去），是去年夏季做的，小船，是去年秋季做的。（兩三首文言的舊詩沒有抄在這本書上）——但是那時雖然是有點詩興，却沒有做詩的同伴，所以連詩興也都漸漸的消滅了！我曾說過：「做詩這箇事情，一要有興趣，二要有同伴。要是旣沒有興趣，又沒有同伴，這斷不會做出詩來的。」我這話連做新詩的始祖胡適之都贊成，大概不會十分大錯的。

胡思永的遺詩

今年七月裏我的朋友周白棣君做了幾首詩拿來給江澤涵和我看，澤涵君勸他畱稿，他很贊成，就回去畱起稿了，並且在書的外面寫了『白棣的詩集』五箇大字。後來澤涵君也去買本格子書來，將他以前所做的詩，和近來所做的詩，都一齊抄上去，也在他的書上寫了『澤涵的詩』四箇大字。我看見他們這箇樣子，當然有點心癢手癢，所以就託白棣替我買了一本格子書來，將我以前的詩和近來的詩都一齊抄抄上去，算是『思永的詩』。

我們現在這樣大做詩而特做詩起來，或者有

胡思永的遺詩

人要反對，以爲不好好的多讀點書，却來做什麼的詩。其實這是錯了。不讀書如何能做詩？要做詩如何能不讀書？況且我們現在的生活眞是枯燥的了不得，一點樂趣都沒有！美術圖畫，我們一點不懂；音樂，我們也一點不懂；各種的游戲運動，我們也又一點都不懂。既沒有許多好朋友可談，又沒有地方可以遊玩，這種無味的生活，我眞覺得難過！現在我們既有了做詩的興趣，大家互相鼓勵着做詩，這也是一種娛樂的方法，並且這種娛樂的方法，比什麼游戲運動玩公園總還要好得多。我覺得近來這幾

胡思永的遺詩

箇月，只有近來這幾日很是快樂，當大家聚在一塊，拿所做的詩互相換看，互相批評，互相討論的時候，這時的快樂，眞可以忘了一切的煩悶。我的朋友澤涵說：『我以前沒做過詩，所以不知道做詩的樂趣；現在做過詩了，纔知道做詩的樂趣。』又說：『一箇人肚裏如果有什麼不高興的事情，只要用詩將這箇事情寫出之後，不高興的事情馬上可以消滅去。』這些話都是很眞實的話。

但是我做的詩，却不像白棣的詩，十首就有八首含了有努力的意思。也不像澤涵的，十首就

胡思永的遺詩

有八首含了安慰自己的意思，並靈妙的感想。我的詩只要表出，我的感觸，我的意思，我的所見。在這箇三項裏頭，我尤相信詩是表一時感觸的唯一利器，並且一時的感觸也只有詩能表得出來。（用文表也能表得出來，不過沒有詩表得深刻，並且也沒有詩表得能感動人。）澤涵批評我的詩說：『你的詩句子做得好。』又批評說：『如果我有你那種意思，我決不拿來做詩，我可拿來記搭記。』他這第一箇批評我不敢當。第二箇批評，我不敢贊同。我以爲戲曲，小說，散文，詩詞都是同一樣在文學的範

詩遺的永思胡

圍裏，同一樣的意思，儘可以用各種形式的表法，不必一定要分什麼意思可以做詩，什麼意思可以做散文，什麼意思可以做戲曲，小說。換一句說，就是不必分什麼詩要詩的意思，散文要散文的意思，戲曲小說要戲曲小說的意思。（例如你莫忘記可以做『去兵』的大文，伊自己打定主意可做悲哀的小說，戲曲。）我這種話，也許誤會了澤涵的意思，但我敢相信這話決不是和澤涵故意抬杠子的話。我的意思只是要表明，一箇意思，儘可以用各種形式的寫法，不必拘定詩要詩的意思，文要文的意思。——話

胡思永的遺詩

雖是這樣說，但是我不敢相信我的話是對的，更不敢教澤涵也和我做一樣的意思，因各人都有各人的觀念，決不能一致的。

近幾日的詩興，的確是非常的濃厚，但是我又很怕這種濃厚的詩興不能長久。因爲今年九月裏白棣要回杭州，澤涵要進協和醫學校，做詩的同伴要分開了，詩興當然也要減少了！我應該怎麼好呢？

我的詩的壞處：一，意思太顯露，二，太死板，三，意思太陳舊，四，首首都是差不多的意思。有了這四層的弊病，所以看見我的詩，

胡思永的遺詩

就覺得很討厭！我的詩既有這幾種的弊病，又有了上面所說的失同伴減詩興的現象，所以我將來做詩的結果如何，現在還不能預料。

其實我做詩除了上面所講的一些不好的地方之外，還有一箇不好的事情，就是詩的材料太缺乏。一箇做詩的人，無論是做寓意的詩，寫實的詩，都應該用自然的景色做箇根底，都應該多多的接近自然的景色。要是像我們這箇樣子，一年裏頭從不很接近自然的景色，却躲在家裏閉起門來造詩，這種辦法，是決不會成功的！就算能够做出詩來，但所做出來的，也未必能夠成爲好詩。楊誠齋說得好：『閉門覓句非詩法，只是征行自有詩。』這是的確的話。詩的長處，就是令人讀過之後能夠起一種美感，能夠起一種明瞭濃麗的影像，深印入人的腦筋。但是像我們這種閉門造句的法子，却很難做出能夠起人美感，能夠使人發生明瞭濃麗的影像的好詩。這是爲什麼緣故呢？因爲我們只閉在一箇屋子裏，不很接近自然的景色，做來做去也不過是屋子裏的一些事物，至多也不過像想的幾箇影像。並且這些像想的影像，有時還很容易鬧錯誤，如我四叔的『楡錢亦怒茁』，（楡錢是榆樹的子，四叔誤爲榆樹的葉。——這是四叔昨天晚上告我的事。）這就是一箇例實。既然是這樣，所以我說閉起門來做詩，很難做出能够使人起美感，能够使人發生明瞭濃麗的影像的好詩。

我上面所說的話，我並不是瞎說的，如果不信，請看古來的名句：『雞聲茅店月，人跡板橋霜』，這決不是閉在屋子裏所能做得出來的。王維的，『大漠孤烟直，長河落日圓』，『渡頭餘落日，墟裏上孤烟』；陶淵明的，『曖曖遠人村，依依墟裏烟』，這也決不是閉在屋子裏所能做得出來的。杜甫的，『薄雲巖際宿，孤月浪中翻』；李白的，『山從人面起，雲傍馬頭生』，這也都决不是閉在屋子裏所能做得出來的。以上所舉的，都是舊詩的例，現在且再舉一個新詩的：譬如康白情那首江南，决不是閉在屋裏作的，也决不是閉在屋裏的人所能做得出來的。試看他的內容，從頭上的『只是雪不大了，顏色還染得鮮艷』寫起，一直寫到末了的『顏色還染得鮮艷，只是雪不大了』，其間所說的那一許多景色，試問閉在屋裏做詩的人，能够像想得出來不能够像想得出來？能够這樣的說不能够這樣的說？

我覺得我做詩，還有許多很缺乏的地方：一，學問不足，二，所受的激刺不深，三，心太冷。這箇三樣，都和做詩有絕大的關係：學問不足，就是做詩的力量不足，就是沒有技術的工夫，時常有辭不達意的毛病。所受的激刺不深，就是不能有很深的意思，不能給人家一箇很深的印像。心太冷，就是不能有熱烈的感情，不能合人家發生若何的美感，不能得人家的同情心。這箇三樣，我當然很願意設法補救。但是補救的方法是怎麼樣？這箇連我自己也都沒有一箇

胡思永的遺詩

明確清楚的自知。我很希望我能夠喫一劑猛烈的興奮藥，給我一箇強大的激刺，提起我努力學問的觀念，燒熱我快要冰冷的心！更希望能夠有一根鞭在後面追逼着我，有美麗的花香在前面引誘着我，使我不得不向這箇道路上走！

如果我要想做詩做到某種的地位，我沒有方法，只有多看多做，多同人家討論。如果有機會能夠多多接近自然的景色，如果有機會能夠受花香的引誘，這當然是我更願意的事情。

努力呀！努力的做去！

九年七月二十三日草於北京。胡思永。

(14)

中華民國十三年十月出版

胡思永的遺詩（全）

每册定價洋三角五分

外埠酌加郵費

著者　胡思永

發行者　亞東圖書館　上海五馬路棋盤街西首

印刷者　亞東圖書館　上海五馬路棋盤街西首

分售處　各省各大書店

嘗試集……胡適著……定價四角五分
草兒在前集……康洪章著……定價五角五分
河上集……康洪章著……定價二角五分
冬夜……俞平伯著……定價六角
西還……俞平伯著……定價六角五分
蕙的風……汪靜之著……定價五角
渡河……陸志韋著……定價四角五分
流雲……宗白華著……定價二角五分
胡思永的遺詩……定價三角五分
一九一九年新詩年選……北社編……定價五角

上海亞東圖書館發行

代表一個時代的精神的文學

全有胡適之先生的考證傳敘或引論
有的有錢玄同先生的序
有的有陳獨秀先生的序

水滸（定價）洋裝二册二元二角 平裝四册一元八角
紅樓夢（定價）洋裝三册四元二角 平裝六册三元三角
儒林外史（定價）洋裝一册一元六角 平裝二册一元三角
西遊記（定價）洋裝二册三元二角 平裝四册一元五角
三國演義（定價）洋裝二册一元八角 平裝四册二元二角
鏡花緣（定價）洋裝二册二元二角 平裝四册一元六角
水滸續集（定價）洋裝二册二元三角 平裝四册一元七角

上海亞東圖書館出版

THE ORIENTAL BOOK COMPANY
上海亞東圖書館